A Gymri di Gymru?

A Gymri di Gymru?

Robat Gruffudd

y Lolfa

Ymddangosodd 'Melys Yw' yn *Trên y Chwyldro* a *Cerddi '70*, 'Tsheco' yn *Cymru yn fy Mhen*, 'Ymson yr Yfwr Allbright' yn *Y Faner*, 'A Gymri di Gymru?' yn *Poeth*, 'Y Dydd y Cododd y Cymry' yn *Lol*, a 'Second Siti' yn *Cerddi Abertawe a'r Cwm*

Diolch i Heini Gruffudd am ei sylwadau a'i anogaeth

Argraffiad cyntaf: 2009

Dymuna'r cyhoeddwyr gydnabod cymorth ariannol Cyngor Llyfrau Cymru

Dyluniwyd gan yr awdur
Y cartwnau ar dudalennau 84 a 97 gan Elwyn Ioan

Rhif Llyfr Rhyngwladol: 978 1 84771 118 2

Cyhoeddwyd ac argraffwyd yng Nghymru gan Y Lolfa Cyf., Talybont, Ceredigion SY24 5HE
gwefan www.ylolfa.com
e-bost ylolfa@ylolfa.com
ffôn 01970 832 304
ffacs 832 782

I ENID

sy wastad wedi dweud
bod fy ngherddi
yn well na fy nofelau

cynnwys

a gymri di Gymru?

a gymri di'r byd
   a'i holl ryfeddodau,
yr haul a'r sêr,
   y pysgod a'r blodau?
a gymri di'r gwledydd
   o bob lliw a llun?
a gymri di Gymru –
   dy wlad dy hun?

a gymri di'r bryniau
   a'r môr a'r afonydd,
y trefi a'r traethau
   bychain, llonydd?
a gymri di'r bobol
   gynhesa'n y byd?
a gymri di Gymru –
   a'i chymryd i gyd?

a gymri di'r cymoedd
   a'r siopau betio
a'r capeli gwag –
   a lanwan nhw eto?
a gymri di'r Steddfod
   a Stiniog, a'r glaw?
a gymri di Gymru
   beth bynnag ddaw?

Aetholdeb

"Mae Cyfarwyddwr Polisi Plaid Cymru wedi dweud fod yn rhaid i bob plaid gadw draw oddi wrth genedlaetholdeb sydd wedi ei seilio ar iaith a chenedligrwydd" – *Golwg,* 2 Hydref, 2003

cyhoeddwyd credo newydd
un hapus, gweddus, cymwys
sy'n fodern a chynhwysol
heb angen unrhyw gynnwys

mae'n gredo eangfrydig
un lonydd, newydd, nais
dymunol i'r cyfryngau,
derbyniol gan y sais

Aetholdeb yw ei henw,
un hyblyg, ddiwahaniaeth
sy'n hepgor pethau diflas
fel hanes a hunaniaeth

yr unig broblem ydi
– a datrys hon sydd raid –
oes angen sôn am "Gymru"
ar ôl yr enw "Plaid"?

fe fyddai hynny'n sicr
yn arbed llwyth o drwbwl,
ond wedyn rhaid ystyried –
oes angen plaid o gwbwl?

anghofio am Gymru o hyd

anghofio am Gymru o hyd
  dilyn arwyr estron
  chwarae gêmau'r Saeson
anghofio mai hon yw fy myd

anghofio am wyrth yr heniaith
  mwydro ar y teledu
  anghofio be rwy'n gredu
anghofio mai Cymru a'm gwnaeth

anghofio am frwydrau'r gorffennol
  ac afiaith y gwmnïaeth
  ildio i siniciaeth
a moeth a myfïaeth ffôl

anghofio'r gwledydd bychain
  rhedeg ar ôl y rhyngwladol
  bychanu'r traddodiadol
anghofio'r cartrefol a'r cain

ymdrybaeddu mewn hawddfyd
  dotio ar deganau
  anghofio'r hen fwyniannau
anghofio am Gymru o hyd

All Smoking Restaurant

This is an All Smoking Restaurant
meddai'r ffurflen felen
yn y ffenest yn Heol Sant Helen:
neges swyddogol,
ond calonogol –
OK iawn meddyliais,
ond be nesa:
This is an All Drinking Bar?
This is an All Swimming Pool?

y ffŵl y ffŵl
oni wyddwn i
am y crwsâd yn erbyn mwynhad?
am y ffatwa yn erbyn ymlacio
a thybaco,
am y bleidlais unfrydol Genedlaethol-Sosialaidd
Ddydd Ffŵl Ebrill
i droi Cymru'n Fangre Ddi-fwg?
y bydden nhw'n hoelio can mil o arwyddion
anhygoel o hyll ond Cymraeg yn gyntaf
ar bob wal, drws a ffenest yn y Dywysogaeth
gan gondemio'r anuniongred
i ymgasglu ar wahân
mewn corlannau oer
dan lampau nwy?

– onid gwell
    na hynna i gyd
        fai medru ffoi
            o ffordd y byd
am bryd a sgwrs
        mewn cwmni gwâr
            a sawr ymlaciol
                mwg sigâr

gan fyta, gwina,
　　malu, mwydro,
dadlau, denu,
　　gwenu, ffrwydro
a sôn am ddoe
　　a sôn am rywdro
mewn
　　All Smoking
　　　All Joking
　　　　　All Drinking
　　　　　　All Thinking
Restaurant?

amla'r geiriau

amla'r geiriau
gwanna'r gwir
ucha'r gobaith
pella'r tir

tewa'r ddogfen
meina'r llwyddiant
mwya'r miri
lleia'r mwyniant

gwycha'r system
gwaetha'r gwallau
hira'r ddadl
mwya'r tyllau

mwyaf moesol
geiriau'r mawrion
hira'r rhyfel
amla'r meirwon

mwya'r celwydd
cryfa'r unfrydedd
mwya'r sicrwydd
cloia'r diwedd

lleia'r sylw
mwya'r harddwch
lleia'r siarad
mwya'r heddwch

Amsterdam

mae hiraeth yn fy nghalon
  – ni wn i ddim paham –
am ddeallusrwydd cyfrin
  dinas Amsterdam,
am fangre lle mae bariau
  llawn mwg a goddefgarwch
a grisiau tro, ecsentrig
  a mwyniant ac arafwch

mae yno gymeriadau
  sy'n amau pob awdurdod
a merched enigmatig
  i'th demtio i segurdod;
mae lle i enaid oedi
  ar lannau'r hen gamlesi
ac encilfannau dirgel
  i'th hudo a'th gynhesu

estron yw'n gwareiddiad
  fel wyneb llwm y lloer
crwydrwn ar ddisberod
  hyd strydoedd unig, oer:
yn lle cerdd, mae dwndwr
  yn lle sgwrs, mae Babel
ac yn lle hen gartwnau
  mae sgriniau lond o sbwriel

ond os na weli'r ddinas
    ar dy flin grwydriadau
paid ildio i anobaith,
    paid gwadu'th ddymuniadau:
caria'r ddinas hudol
    fel trysor yn d'ymennydd
 a'i rhoi yn rhodd i eraill
    fel diemwnt ysblennydd

fe ffeindi ambell hafan
    o fwyniant a gwarineb,
fe gei yn ôl a roddaist
    mewn croeso a ffraethineb,
fe ffeindi ryw angorfa
    o gynnwrf y dyfnderoedd
ac yno, os yn lwcus,
    fe weli gip o'r nefoedd

araf guriad

araf guriad
  calon fach
yn dawel dipio'n
  y bore bach

pwysa'n dawel
  pwysa nawr
ar yr eiliad:
  daw y wawr

yn y rhythm
  ymddirieda
curiad cyfrin
  ydyw: creda

aeth y dydd
  a'i holl fanylion
rhodda le
  i fyd angylion

er mai ynot
  ti mae'r curiad
daw o froydd
  cynnes cariad

ildia nawr
  i guriad nef
rho dy hunan
  iddo Ef

bar neb

bymmo yn bar neb
â diod hir a gwleb:
yn hapus, fwy na heb

Vespas ger y traeth
chwiban barman ffraeth:
mae 'na lefydd gwaeth

darllen papur ddoe
y byd yn dal i droi –
nawr rwy'n cymryd hoe

mwg Camelau hirion
plât olewydd surion
chwerthin llac a gwirion

merched mas i dynnu
rhai â'u gwallt yn gwynnu
dim byd yn fy synnu

miwsig trwm, Lladinaidd
y barman Archentinaidd
yn shiglo cocteils gwinaidd

haul yn bwrw'r gwydrau
golau gwyn yn ffrydiau
mwg yn y pelydrau

hen boster Che Guevara
ar wal yn pylu'n araf –
y math o le a garaf

beth ych chi'n neud yn niwedd eich byd?

beth y'ch chi'n neud
    pan mae'ch byd wedi bennu?
at bwy yn hollol
    ddylech chi sgwennu
pan mae'ch gwlad
    bob yn dipyn yn diflannu
a chi a'ch cynefin
    yn ymwahanu

a'ch bro a'ch pentref
    yn llanw â saeson
a'r dre, ar ddydd Sadwrn,
    yn rhyfedd o estron
a Saesneg ar gegau'r
    plant ar y buarth
a'r tŷ gyferbyn
    â phobl ddiarth?

sut y digwyddodd
    y llanw a'r trai
mor sydyn, mor dawel?
    ar bwy mai'r bai?
ai llong yn y nos
    a ddaeth â nhw draw?
neu res o lorïau
    ryw noson o fraw?

beth y'ch chi'n neud
   yn niwedd eich byd
a'ch muriau 'di syrthio,
   a phawb yn fud?
oes 'na linell argyfwng
   neu wydr i'w falu
pan mae'ch gwlad wedi'ch gadael *T.L.T.*
   a'ch byd wedi chwalu?

be sy mor bod

be sy mor bod ar ddilyn y Swans
be sy mor bod ar ffansïo *blondes*

be sy mor bod ar sigarilo
a stêcen *ribeye* wedi'i grilo

be sy mor bod ar fynd ar sbec
i weld odi'r ffair wedi cyrraedd y Rec

be sy mor bod ar hôl potel o blonc
a mynd am dro i Blaned Zonc

be sy mod bod ar ddal bws i'r Strand
a whilo'r talent, a tsheco'r band

be sy mor bod ar roc an' rôl
be sy mor bod ar edrych yn ôl

be sy mor bod ar sodle stiletto
be sy mor bod un gwydryn eto

be sy mor bod ar gyrri Madras
a hanner a hanner, a 'bach o jazz

be sy mor bod ar y Cwm a'r Bae
be sy mor bod ar y byd fel y mae

ble mae Cymru?

bu gen i 'bach o broblem
    ers tro, ynglŷn â 'ngwlad:
a allwch fy nghyfeirio
    tuag at y lle, neu'r stad?

a yw hi yn y strydoedd?
    os felly, ym mha dre?
neu falle lawr y dafarn
    – os felly, pa un, ble?

neu oes 'na bentre'n rhywle
    neu gwm, neu fryn, neu gae
neu gwmwd cyfrinachol
    ymhle, yn wir, y mae?

dywedodd rhywun wrthyf
    ei bod hi ym mhen Llŷn,
yr ochr draw i Lithfaen
    mewn ardal lawn o rin

na wir, mae'n y Fam Ynys
    mewn pentre fel Bodorgan –
neu ydi hi'n y Berwyn
    'da'r Esgob William Morgan?

ond na, medd rhywun clyfrach,
    mae Cymru ar y we –
mae Cymru'n seibyrdeyrnas,
    mae Cymru'n fwy na lle

mae Cymru'n fath o naratif
    neu uchel ymwybyddiaeth –
mae'r wlad yn dipyn mwy
    na dim ond daearyddiaeth

neu ydi hi, yn hytrach,
    yn rhywbeth braidd yn llai
ac nad oes neb sy'n gwybod
    ymhle ddiawl y mae?

brafle

ymhell o gyfalafiaeth
    ymhell o'r we a'r crap
mae brafle yn bodoli
    nad yw ar unrhyw fap

lle swynol serenisaidd
    o gŵl ymlaciaeth braf
o ecsentigrwydd ffolus
    o deimlad diwedd haf

lle mae awelon ysgafn
    yn cosi wyneb llyn
a chychod posibilrwydd
    yn dawnsio yno'n syn

ond ni allaf gynnig
    ddim cyfarwyddyd teithiol:
ynglŷn â ffeindio'r fangre
    na fyddi yn obeithiol

yr unig gyngor roddaf
    yw: dychwel at dy nod
cer 'mlaen i'r lle y buost,
    ailffeindia ble ti fod

cân i'r Arg

mae'n gês
   ond mae'n dwat
mae'n hwyl
   ond mae'n hat
mae'n glyfar
   mae'n gŵl
ond eto
   mae'n ffŵl

mae'n ffraeth
   ac yn *jokey*
gall ddawnsio
   y *cokey*
mae'n drendi
   mae'n sgrech
ond eto
   mae'n rhech

ei gredo'n
   sosialaidd
mae'n foi
   carnifalaidd
yn uchel
   frenhinol
ond eto'n
   werinol

ydi Dafydd Êl
   yn rêl?
neu ai bodolaeth ddamcaniaethol
ôl-fodernaidd, metaffeithiol
   sydd i'r dyn?
mai i'r cysyniad
   mae'r ymlyniad?

nad yw'n bod
    ar unrhyw sbectrwm
y gallai ddiflannu
    lan ei rectwm?

Na! Na!

yn Farcsydd ffeministaidd
yn Arglwydd hedonistaidd
ar y chwith ac ar y dde
yn y wasg ac ar y we
lan a lawr a dros y lle
y mae'n bod
    mewn cig a gwaed –
er na wn
    paham y'i gwnaed

beth bynnag yw
    cyhoeddaf hyn:
mae'n fwy o sbort
    na Ieuan Wyn

cân y pryd llysieuol

dim sôn am stêc na chyrri
er bod 'na siawns am reis
ond cystal ymddifyrru –
mae'r *ambience* yn neis

fe olchaf y ffa a'r letys
â joch o win organig
ond er iached ydyw'r betys
daw chwys, a math o banig

ac er mor braf yw naws
y lampau papur, crwn
ac ansawdd ffres y saws
blodfresych – teimlaf bwn

yn gwasgu tra mae'r gweinydd
yn cyfeillgar gracio jôc
a dioddefaf afrwydd
ar ffurf awydd i gael smôc…

mor ffôl yw fy adweithiau!
dylwn ildio ac ymagor;
talaf, ac af ar fy nheithiau,
– ond diawl, gallwn fyta rhagor

cydia'n y dydd

cydia'n y dydd
 gafaela'n yr awr
cyhoedda dy ffydd
 – ond gwna hynny nawr

gwisga dy gap
 marcia dy dir
agor dy fap
 – ond paid bod yn hir

troia dy gefn
 ar y diflas a'r gwael
paid dilyn y drefn
 carlama i'r haul

dangos dy gardiau
 cymer dy siawns
chware dy gordiau
 dawnsia dy ddawns

cynnau dy dân
 rhodda dy weddi
cana dy gân
 – ond cana hi heddi

Cymru heb Eirug Wyn

dywedodd rhyw adyn,
　　rhyw asyn gwael
nad yw Eirug yn bod
　　nad yw bellach ar gael:
be wedan nhw nesa –
　　bod bywyd ar Mars?
mae'r syniad yn wirion,
　　mae'r cyfan yn ffars!

fel afon heb lif
　　neu ffôn heb ddim rhif
neu fara heb furum
　　neu jazz heb y rhythm

neu enfys heb liwiau
neu deml heb dduwiau
fel bore heb bnawn
neu ŷd heb ddim grawn
neu albwm heb stampiau
neb stryd heb ddim lampau
fel llyfr heb ddalen
neu siwgwr heb halen
fel grŵp heb gitâr
neu dafarn heb far
neu gannwyll heb fflam
neu Lisbon heb dram
fase Cymru heb Eirug:
mae'r syniad yn lloerig
fel tôn heb ddim nodau
neu ardd heb ddim blodau
neu ddu heb wyn
neu bysgod heb lyn –

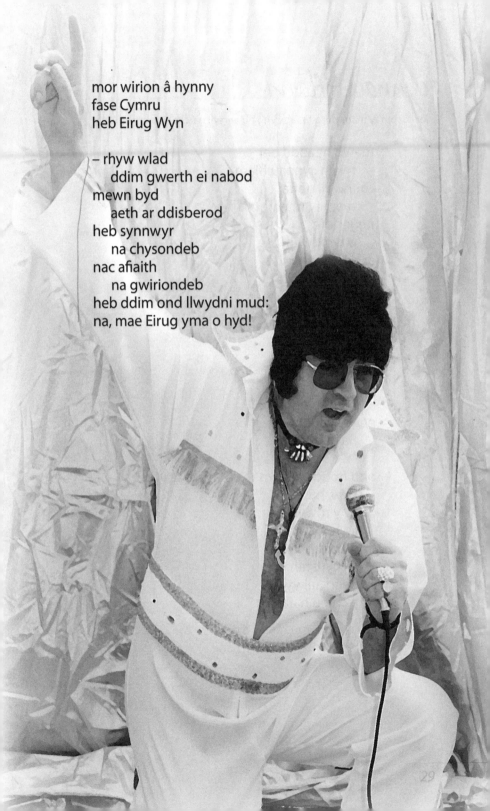

mor wirion â hynny
fase Cymru
heb Eirug Wyn

– rhyw wlad
   ddim gwerth ei nabod
mewn byd
   aeth ar ddisberod
heb synnwyr
   na chysondeb
nac afiaith
   na gwiriondeb
heb ddim ond llwydni mud:
na, mae Eirug yma o hyd!

cynnau fflam

(er cof am fy mam-gu, a fu farw yng ngwersyll garchar Ravensbruck)

mewn neuadd oer
   rwy'n cynnau fflam
cannwyll goffa
   mam fy mam:
neges ofer
   o fyd gwell
ar draws yr hollt
   i ing dy gell

fe gollaist ti
   oleuni'r dydd
fe gollais i
   o raid, y ffydd –
dau Iddew coll
   mewn canrif ffôl,
neges wirion
   na ddaw'n ôl

ond ffôdd y genyn
   byw, hunanol
drwy y rhwyd
   i wlad wahanol,
ffôdd o dristwch
   a chyflafan
i wneud aelwyd
   a chreu hafan

trodd yr Ateb
    du, terfynol
yn gwestiynau
    newydd, dynol,
trodd anobaith
    a therfysgaeth
yma yng Nghymru
    yn gynhysgaeth

ond a oedd raid
    wrth dy ddirdynnu
er mwyn i'r bywyd
    newydd ffynnu,
a oedd raid
    i'th fywyd freuo
er mwyn i'r teulu
    ailflodeuo?

nid oes neges
    yn y fflam –
dwed ble'r wyt ti,
    fam fy mam!
ond ni ddaw
    'run ateb nôl
i gwestiwn gwirion
    Iddew ffôl

cywydd i'r Byd

nid papur oedd, ond popeth,
nid pwnc i'w drafod, nid peth
amheuthun neu ddymunol
a ffein, ond sy falle'n ffôl:
rhyw gynllun da ond hynod
a ddylai, efallai, fod
ond fel ag aml ddelfryd,
yn straen i hygrededd stryd –
na, popeth fyddai'r papur,
yn fan cyfarfod, yn fur,
yn bair, ac yn ddrych i'r byd,
yn llwyfan i gyfanfyd,
yn allwedd i ryfeddod
holl ystryw ein byw a'n bod

rhag cywilydd y gwleidyddion!
ai Y Blaid ydyw'r haid hon
o ddynion bach crintachlyd
a laddodd, o'u bodd, y byd
gan addo grant ffuantus –
un crand i bwrcasu crys.
yr hen arweinwyr a aeth
a'u syniad o wasanaeth,
yn eu lle daeth dynion llon,
di-hid eu haddewidion,
afradus o'u delfrydau,
yn byw a bod yn y Bae.
yn gobs mewn bistroau gwin,
yn arwyr, heb y werin;
ânt i far â'u sigarau
– ar y bîr gan roi y bai –
yna'n wawd mewn penawdau
eu hwyl a gaiff ei goffáu.

y rhain ddiffoddodd yr haul –
athro iddynt yw'r cythraul:
a allai Ef dywyllu
â'i ddawn, yr hollfyd yn ddu?
a oes un Diawl na hawliai
ar ei ben yr oll o'r bai?

er y meddal wamalu,
er y loes i Gymry lu,
nid oes derfyn i syniad
na glew ddyheadau gwlad
a daw yn siŵr y diwrnod
y bydd y Byd eto'n bod:
y mae ei naws ynom ni
'n union, er heb ei eni –
mae ei ddiddan fychanfyd
yn fyw, ac yn gyflawn fyd:
daw llawen dudalennau
yn ddeunydd o'n broydd brau,
heb grafog flog na'r un floedd
yn eisiau o'n dinasoedd:
a chawn glywed o'r gwledydd
a chofnod yn dod bob dydd
o bob dathliad ac adfyd –
y gwir a geir yno'i gyd
a hwyl a holi helaeth
â min i'r meddwl, a maeth;
hefyd ein hwyl a'n hafiaith
a hyn i gyd yn ein hiaith.

Dei Ritsh a Chefngweiriog

Dei Ritsh a Chefngweiriog
   Hyw Bryngwyn a John Bala
Gwesyn a'r ddau goedwigwr:
   ble'r aethoch chi mor smala?

ffyddlon ddiaconiaid
   bar cefn yr hen Lew Du –
mor rhyfedd yw'r tawelwch
   wedi'r rhialtwch fu

ble'r aeth y croeso cynnes,
   yr hwyl a'r tynnu coes
a'r "Jameson mawr i'r gwron"
   a'r "nawr, paid tynnu'n groes"

a Dic y Lein, ble'r wyt ti
   a'th hiwmor miniog, gwâr
a'm gadael i'r teledu
   a'r *Sun* ar ben y bar?

a glywn ni'r hen emynau
   fyth eto'n nofio mas
trwy gil ffenestri'r Llewod
   ar draws y Patshyn Glas?

i ble, "mae'n fore eto"
   i ble, "anghofia'r wraig"
ble'r aeth y Glân Geriwbiaid?
   ble'r aeth yr iaith Gymraeg?

dilyn baner Cymru

(wedi angladd Gwynfor)

dilyn baner Cymru
    i lawr y strydoedd llwm,
dilyn nodau'r pibydd
    trwy bob tre a chwm,
ymuno â'r orymdaith
    i Aber neu Gilmeri,
cynnal hen freuddwydion,
    codi'r hen bosteri

dilyn yr hen alwad
    wrth guro drysau'r tai,
gobeithio am ryw lanw,
    ofni bydd 'na drai
wedyn cynnal seiat
    ar sut i drechu'r Tori,
trefnu cael cyfarfod
    eto nos yfory

codi baner Cymru
    yng nghoridorau grym,
chwarae gêm cyfaddawd
    wedyn ennill dim;
cofio dygnwch Gwynfor
    a'i ewyllys ddur,
cofio'r gwawrio sydyn
    wedi'r brwydro hir

dilyn baner Cymru
    lawr i Fae Caerdydd,
methu gweld arwyddion
    o'r Gymru newydd, rydd;
troi'n ôl i'n cynefin,
    gwrthod anobeithio,
dal i ganlyn Arthur
    cario 'mlaen i deithio

ymladd brwydr newydd
    er mwyn achub blaen,
ymladd hen un eto,
    bwrw'r un hen faen;
para i obeithio
    am ryw chwyldro sydyn,
dilyn baner Cymru
    am mai Cymry ydym

dim ond pan rwy'n clywed Chopin

(er cof am fy mam)

fe lifai dros y Lido
    awelon mwyn o Fenis
gan gosi llenni melfed
    hen westy ar yr ynys
lle'r o'n i'n deithiwr unig
    ar gael y fwydlen rrataf –
ac yna yn ddirybudd
    fe ddoist, o rywle, ataf

oherwydd roedd pianydd
    mewn hirwisg draddodiadol
wrthi'n chwarae Chopin
    fel alaw agoriadol
a llifodd awel arall
    dros bennau'r byrddau mân
a chwalodd yr holl furiau
    a'n cadwai ar wahân

ac yno roet ti'n eistedd
    gyda mi wrth y bwrdd
fel yn yr holl flynyddoedd
    cyn i ti fynd i ffwrdd
gan ildio i ffrwd y nodau
    afieithus, emosiynol
ag ystum ffri, ddiofal
    fel yn dy fywyd dynol

ti, a'th wareiddiad ceinach
    ti, a'th ymennydd chwim
ti, a gwestiynai bopeth
    ti, na phoenai am ddim
ti, a ddyfynnai Goethe
    ac eraill, dyn a ŵyr,
ti, a'th gred yn y teulu
    ti, a'm deallai yn llwyr

mae rheswm yn egluro
    y pethau angenrheidiol,
bod bywyd yn diweddu,
    ein bod ni i gyd yn feidrol,
bod atgof yn melysu
    ein hymdaith trwy y byd –
dim ond pan rwy'n clywed Chopin
    y chwala'r llifddorau i gyd

Dyfodol Gwell

Dyfodol Gwell – enw papur etholiadol Plaid Cymru, Ceredigion, yn 2005
ac ym mhob blwyddyn arall, a sir

Dyfodol Gwell
– OK, Null Points am wreiddioldeb
ond o leia
mae'n well na
Dyfodol Gwaeth
neu – Duw a'n gwaredo –
Gorffennol Gwell

diolch byth am y dyfodol
sy wastad yno
i fod yn well na nawr,
yn fwy llwyddiannus
hapus a ffyniannus
a chyffredinol effeithiol
ond sy byth yn mynd i neud peth
mor adweithiol
â digwydd

dau air win-win
cynaliadwy, carbon isel
llawn gobaith, goleuni
cyfleoedd cyfartal
ysbytai a chartrefi henoed llawn
a phyllau nofio newydd
yn llawn plant amlethnig
a dinasyddion hŷn
yn sblashio'n optimistaidd
mewn clorîn

a bydd cynnydd cyffredinol
a phopeth yn ddymunol
a systemau'n ddibynadwy
a thargedau'n gyraeddadwy

ac ni fydd tyllau mewn palmentydd
ac ni fydd strontiwm yn y nentydd
ac ni fydd meirw mewn mynwentydd
ond mewn unedau gofal dwys parhaol
di-MRSA

a bydd wastad nod i weithioam
a wastad rhywle i deithioam
a nef o hyd i obeithioam
ac ni fydd hiliaeth na rhywiaeth
na siofinistiaeth
ond partneriaethau cymeradwy
a gwasanaethau rhad ofnadwy
i bawb yn y Dyfodol – i'r gad!

wrth gwrs, mae sdwff yn digwydd
i'r cynlluniau gorau
ac weithiau bydd rhaid brwydro
yn erbyn y ffactorau
ond trwy gyfrwng Democratiaeth
a thargedau gwych, os pell,
os na fydd y dyfodol yn berffaith –
mi fydd yn blydi gwell!

mae'r gorffennol wedi digwydd,
dyw'r presennol ddim yn bod,
tragwyddol yw'r Dyfodol –
anelwn at y nod!
ymunwch yn yr ymdaith,
tynnwch bant eich côt,
daliwch lan eich placard
a rhowch eich blydi fôt!

Ein Dyfodol
For All Our Futures

| Rhif
Number | 15317 |
| Enw
Name | Mr Robat Gruffudd |

dyn yn chware jazz

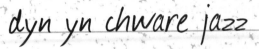

dyn yn chware jazz
    yw dyn yn chware Duw
gan herio ei fonopoli
    ar greadigrwydd byw

fe hyrddia foleciwlau
    cerddorol, troellog, ffôl
ond mae Duw yn dal y nodau
    a'u sbinio ato'n ôl

a'i herio i ymateb
    i'w uwchdafliadau chwim:
rhaid wrth gymorth dwyfol
    i wneud rhywbeth mas o ddim

daw'r cerddor i synhwyro
    nad yw yn creu ei hun
a dyna sut, mewn jazz,
    mae Duw yn chware dyn

gall gweithio fod yn bleser

gall gweithio fod yn bleser
os nad i'r swydd ti'n gweithio,
fel sgwennu er mwyn sgwennu
neu deithio er mwyn teithio –
mae'r cyfan mor ddibwrpas
â mynd i'r pyramidiau
dim ond er mwyn cael dangos
dy hunan yn y sleidiau

a wedyn, mewn cyfeillach,
fe fyddi wedi laru
os ti'n yfed er mwyn yfed –
mae fel caru er mwyn caru:
ta pa mor glaf yw'r galon,
ta pa mor hardd yw'r ferch
does dim pwynt o gwbl
os ti'n caru er mwyn serch

beth, felly, ydi pwrpas
ein daearol ymdrechu
os nad yw da er mwyn daioni'n
well na phechu er mwyn pechu?
– paid gwneud dim o gwbl
os nad yw'n llonni byw
neu'n hyrwyddo'r Chwyldro
neu'n boddhau dy Dduw

gaeaf yn Aberystwyth

blin yw'r bensaernïaeth,
   yr adeiladau parod
yn gwmni hyll, anghynnes
   i'r tai sy yma'n barod,
y siediau newydd moelion
   fel carbod dan y lloer,
y lampau annaearol,
   y strydoedd unig, oer

dim bariau cudd, diddorol
   dim merched hwyliog, llac
dim miwsig mewn selerau
   dim sgyrsiau da, dim crac –
be ddiawl sy'n Aberystwyth
   ond stadau hyll a Saeson
a blydi siopau B-Wise
   a strydoedd unffordd, gwirion?

af draw am beint i'r Weston
   at gwmni'r gwrthodedig
i'r bar aflafar swnllyd
   a'i ddiwyg shamboledig;
mae dau gymeriad alci
   wrth y bwrdd snwcyr pinc
a bloeddiant uwch y dwndwr –
   Oi, gyfaill, dewch â drinc!

go wael yw'r rhagolygon,
   eitha criw o grancs
ond dyma Aberystwyth,
   archebaf beint o Banks
a setlaf gyda mwgyn
   i gadair yn y gornel –
mae'n eitha lle am gysgod
   mas o'r stryd a'r oerfel

GET Y LAIFF

wyt ti'n mynd i, neu beidio?
ti'n edrych ar dy watsh
gallai gymryd ugain munud da
ti'n brysur, 'da ti sdwff i'w neud
… ond ti'n Gymro
os ti'n unrhywbeth o gwbl
OK, tro 'ma, ti'n mynd i'w neud e –
ti'n gofyn am y gwasanaeth Cymraeg

ti'n codi'r ffôn, deialu
this is customer support you are important to
us please listen carefully to the instructions we
may record your call for customer support and
extremist surveillance purposes press button
one if you want press button two press button
press six for a Welsh Speaking Operator
y miwsig yw knocking on heaven's door
dring dring dring dring dring dring
o'r diwedd hallo can I help you
Ga' i'r gwasanaeth Cymraeg
os gwelwch yn dda?
I'm sorry but all our Welsh-speaking staff
are out of the office at the moment
can I help you
you are important to us
have a nice day –
be ti'n neud?

neu os ti'n ciwio wrth y cownter a mae'r ferch
yn edrych arnat ti fel 'se ti'n darantwla seithgoes
wedi dala'r ffliw newydd 'na o ddwyrain Affrica
ac wedi pum munud (os ti'n lwcus) o ymbalfalu
dan y cownter tra mae'r ciw y tu ôl yn hirhau
a blinhau

mae hi'n cynhyrchu un ffurflen lychlyd, ei chorneli wedi'u
bwyta gan lygoden Ffrengig yn diodde
o'r un ffliw
a ti'n mynd â'r blydi peth i ryw gornel
a ti'n cael profiad rhyfedd – mae e'n edrych fel Cymraeg,
ond nid Cymraeg yw e!
mae e'n dweud Official Approved Welsh Wanker Form
No. WW1 ar y top a ti'n darllen e,
ond ti'n ffili deall e –
achos nid Cymraeg yw e
ond Saesraeg,
iaith mae dim ond tua 50 o bobl yn y byd yn ei deall
sef cyfieithwyr proffesiynol Saesneg i Gymraeg
a'r bobol sy'n talu nhw £70 y 1,000 o wallau

so be ti'n neud nawr?
wyt ti'n slipo mas o'r lle gan fachu un o'r ffurflenni
Saesneg sydd yn bentwr uchel, gwyryf, persawrus
ar flaen y cownter a bennu â'r busnes am byth
– ond ar y llaw arall,
os wyt ti'n unrhywbeth o gwbl,
ti'n Gymro …

GET Y LAIFF –
    beth wyt ti, dyn neu rech?
'sdim byd wedi newid
    ers Un Pump Trideg Chwech,
anghofia am dy
    "Chwyldro" dosbarth canol,
paid twyllo dy hun
    bod dim byd yn wahanol,
GET Y LAIFF –
    paid credu'r sglein a'r rhethreg –
cer am beint
    a llanw'r ffurflen Saesneg

gwasgwr botwm Ffwt

Angel
mae blydi Cymro arall wrth y porth

Duw
ai sowthyn yw, neu un o hogia'r north?
ond wedyn, pa wahaniaeth – maen nhw i gyd
yn cwyno pan mae'n rhaid ffarwelio â'r byd;
dwy ddim yn deall hynny: digon claear
oedd eu cariad at y blydi ddaear
a doedd eu hagwedd at eu tamed gwlad
yn dangos fawr o ysbryd na mwynhad,
ond dyna ni, rhaid iddo ddweud ei bwt
neu bydda i – a tithe – ar y clwt!

Dyn
helô helô, fy Nuw, sut y'ch Chi'n cadw
yn iawn? da iawn, ond mae hyn yn beth ofnadw:
iawn, OK, mae i bob bywyd derfyn,
ond oes raid i'r busnes orffen cweit mor sydyn?
rwy wedi cael rhyw ysbaid ar y ddaear –
ond byddai hyn yn exit braidd yn gynnar!

Duw *(yn ochneidio)*
mae hyn yn boring, fe glywais hyn mor amal,
y math o grefu ac ymbilio gwamal:
fe gest dy gyfle, cest drigain mlynedd plys –
dwi'n onest ddim yn deall beth yw'r ffys:
petaet ti'n cael yr amser ychwanegol,
a fuaset ti'n ei dreulio yn wahanol?

Dyn
wrth gwrs, fy Nuw! petawn i'n cael ond 'chydig
mwy, fe fasen i yn llawer mwy brwdfrydig

dros bob aruchel werthoedd, dros Dy Air;
pe cawn i flwyddyn eto, dwy neu dair…

Duw
…ha ha, neu bedair, neu gofynna am bump
o flynyddoedd eto o ddaearol dymp –
ond beth yw'r pwynt o ychwanegu tamed
tuag at dy fywyd ar y blaned?
y ffaith yw bod dy hoe ar ddaear lawr
yn rhwym o orffen rywbryd – pam lai nawr?
ac mae 'na fater arall sydd yn cawlio
y math o beth yr wyt ti nawr yn hawlio:
mae Satan, fel yr un dros yr erlyniad,
yn mynnu, ym mhob achos o estyniad,
bod ffurflen yn dynodi'n ystadegol
y rheswm dros roi amser ychwanegol:
mae'n rhaid i'r ddau ohonon ni ei glirio –
nid mater bach o gwbl yw gohirio!

Dyn
ond, Dduw, oes bosib bod 'na ffordd Ffast Trac?

Duw
er mwyn y Nef, paid dechre 'ngwneud i'n grac
neu cei di fynd i uffern ar dy ben
a llosgi yno'n golsyn byth, Amen!

Dyn
ond o'n i'n tybio bod 'na siawns reit gref
y gallwn fynd, yn hytrach, lan i'r nef?

Duw
wel penderfyna, wir, beth wyt ti moyn –
ai mynd yn ôl i'r byd, neu symud mlaen?
(wrth yr Angel)
diawch, mae'r rhain o Gymru'n bennau bach

mae'r bygyrs wastad yn creu ffws a strach –
oes mwy ohonynt heddiw yn y ciw?

Dyn
rwy'n ymddiheuro'n llaes, fy annwyl Dduw,
os oeddwn yn angelur fy ngofyniad:
a ga i ofyn, felly, am estyniad
o finimwm – rhesymol iawn – o bedair
blwyddyn lawn o fywyd dilyffethair?

Duw
a beth yn hollol, felly, ydi'r rheswm
dros i ni ystyried y consesiwn?
a bydd yn weddol gyflym wrth y gorchwyl –
mae rhes o bobl wrth y porth yn disgwyl!

Dyn *(yn ymgreiniol)*
wel hyn, fy Nuw: y profiad yma'i hun
o sylweddoli pa mor fyr yw bywyd dyn,
o orfod rhythu mewn i safn marwolaeth
– dyma'r peth sy'n gwneud yr holl wahaniaeth:
mae'n hollol amlwg bydda i'n wahanol
wedi cael ysgytwad mor drydanol,
rwy'n addo bydd 'na newid chwyldroadol –
ond Chi, wrth gwrs, yw'r person dylanwadol

Duw
fe wn i hynny'n burion – does dim angen
y ffalsio yma – wir, mae'n rhan o'r broblem:
mae Satan a fi'n unfryd nad yw'r profiad
ynddo'i hun, sef jyst y sylweddoliad
o bresenoldeb agos dy farwolaeth,
i'w ganiatáu o gwbl fel tystiolaeth,
felly dyna gau y mater, twt!
Angel, rho dy fys ar y Botwm Ffwt!

Dyn
na, na! – fe wela i'n gliriach nag erioed
na wnes i fyw yn iawn – des at fy nghoed!
rwy'n addo byw yn llawer llai afradus
a bod wrth bawb yn llawer mwy cariadus;
rwy'n addo mynd i'r capel bob dydd Sul
er nad wyf, yn naturiol, yn ddyn cul;
rwy'n addo blaenoriaethu'r wraig a'r teulu
a galw'n gyson â phob un sy'n gwaelu;
af ar fy llw na ddweda i ddim celwydd –
mae popeth nawr mewn rhyw oleuni newydd,
rwy'n ymbil, Dduw, rhowch gyfle olaf im
achos heb ddim bywyd, be ddiawl fydda i – dim!

Duw *(wrth yr Angel)*
beth yw dy farn di, Angel? oes pwynt oedi?
ydi'r basdard bach yn argyhoeddi?

Angel
I'm not impressed, mae'r dyn yn fethiant llwyr
fel pawb sy moyn estyniad, yn rhy hwyr;
mae'n Gymro nodweddiadol, llawn o wynt
a wir, rhaid i ni symud dipyn cynt!

Duw
yn hollol – paratoa'r botwm Ffwt –
dewch lan i'r llinell felen, nawr 'te – sgwt!

Dyn *(yn daer)*
ond rhoesoch Chi, fy Nuw, ddim rheswm chwaith
dros chwim derfynu fy naearol daith!
mae gen i un hawl olaf! wnewch Chi rannu
Eich rheswm dilys dros i mi ddiflannu;
os ydych Chi, o'r diwedd, am fy sarnu –
o leia, gen i hawl i gael fy marnu!

Duw *(nawr yn gwylltio)*
wel nag oes wir! does gen ti ddim mo'r hawl –
ti'n siarad nawr yn union fel y Diawl!
os gwasgu'r Botwm ydi'r penderfyniad,
'sdim angen imi gyfiawnhau 'nyfarniad,
a hoffwn dy atgoffa mai gwir destun
y cyfweliad yma yw ymestyn
dy oes bathetig, bitw, gyfaddawdol
tu hwnt i ffiniau normal bywyd cnawdol –
i beth yn wir? dy wendid mawr, hanfodol
oedd wastad edrych mlaen tua'r dyfodol:
mae tragwyddoldeb – dyma'r pwynt elfennol –
yno i'w gipio allan o'r presennol;
dyw marw ddim *big deal* fel ti'n dychmygu –
fe farwaist ganwaith, bob tro gwnest ti blygu
i ofnau llwfr a dewisiadau shit:
nid dyma'r lle i droedigaeth ffrit!

Dyn
OK, Chi'n iawn, mi wela i'r peth yn glir
rwy'n derbyn be Chi'n ddweud am fyw yn hir,
nad hynny ynddo'i hunan yw'r caffaeliad
ond be sy'n digwydd oddi mewn i'r eiliad:
fe gyflwynoch ddadl gref a thwt –
a gawn ni nawr anghofio'r botwm Ffwt?

Duw *(ar ben ei dennyn)*
ond ofer yw cytuno, heb addewid
nac unrhyw sicrwydd clir y bydd 'na newid!
fe gefaist roddion hael fy holl ddychymyg
ond ar y cyfan, tuedd gref at ddirmyg
a welais at y byd a'r holl blanedau
a phopeth ar y llawr, ac yn y nef, a hedai:
fe roddaist iti hir fachludoedd hudol
a bwydydd gwych, a stêcs, a ffôns symudol
a ffrindiau da, a thraethau bychain Dyfed

a gwinoedd Ffrainc a'r Eidal i ti yfed,
cerddoriaeth o bob math, i ti gael dawnsio,
a llyfrau, DVDs, partïon lawnsio
ac arallfydol harddwch y rhyw deg
ond roedd y rheini'n aml yn destun rheg;
ar ben y cyfan oll, rhois i ti wlad
ac iaith, cynghanedd sain ac arwyr mad;
fe'th glywaist dro yn ôl yn sôn am "chwyldro"
ond erbyn edrych mewn i'r mater, mwydro –

Dyn *(â hyder newydd)*
– a ga i dorri mewn – mae hwnna'n gelwydd:
mae chwyldro arall, gwell yn awr yn digwydd,
un llawer iawn mwy effeithiol a threfnedig
nag un y criw bach hunan-etholedig
fu gynt yn taflu paent a malu seins
gan ennill pwt o jael neu, falle, ffein –
ni wedi dechrau ennill grym effeithiol
trwy'r Gorchmynion Cymhwysedd Deddfwriaethol
a fyddant, wedi derbyn sêl y Cwîn,
yn rhoi i ni yr hawl i ddeddfu'n hun –
er enghraifft, ar bwynt safon bwyd ysgolion
neu lwybrau beicio saff i unigolion:
dyma beth yw chwyldro gwirioneddol,
un real, di-droi'n-ôl – â grym seneddol!

Duw
ni chlywais beth doniolach yn fy nydd –
sef gofyn caniatâd i fod yn rhydd:
dyw rhyddid ddim yn beth sy'n dod fel cardod,
mae'n rhywbeth hen sy'n perthyn i ti'n barod;
gallaset wedi cyrraedd dy amcanion
heb ddisgwyl fel rhyw gi bach wrth y Saeson,
a dangos 'bach o ysbryd a gwroldeb
ond rhedaist oddi wrth dy gyfrifoldeb:

os dyna ydi "chwyldro" mawr y Cymry
wel codwch nawr y gadach wen i fyny!

Dyn *(yn ddwys)*
yr ydych chi, fel Duw, yn hollwybodol:
gan hynny, dylech fod yn ymwybodol
nad yw ein chwyldro ni yn nodweddiadol –
mae'n chwyldro graddol, araf, adeiladol;
a beth bynnag yw ei ragolygon llwyddiant
sut allwch chi feirniadu ein cymhelliant?
dyma ddull y Cymry ers canrifoedd
o hybu lles eu gwlad, a chadw'u tiroedd!

Duw
ti'n iawn i fod yn swil am dy wybodaeth –
beth am yr hen ryfeloedd annibyniaeth?
a 'drycha ar eich arwyr mawr diweddar –
oedd Gwynfor a John Jenkins yn amyneddgar?
(yn edrych ar ei wats)

Dyn *(yn newid tac)*
fe aethon ni i gors wrth sôn am Gymru
a dadlau yn rhy hir ynglŷn â hynny:
mae'n rhaid i ni ymestyn ein gorwelion
a chodi ein golygon i'r nefolion
leoedd lle mae'r agenda yn wahanol –
ni fydda i byth eto mor hunanol!
mae 'ngwerthoedd nawr i gyd yn rhai ysbrydol!
rwy'n cefnu ar y byd a phopeth bydol!

Duw
ond dyna'r union bwynt: ti wedi methu
– trwy fynnu creu gwahaniaeth, a chymhlethu
egwyddor syml iawn – ti wedi cawlio
a chamddeall nad dyna rwy'n ei hawlio,

sef ildio pethau'r byd: dy gyfrifoldeb
di oedd canfod tragwyddoldeb
heb dynnu llinell wirion lawr y canol
fel 'se'r pethau greais i'n wahanol –
mae'r cyfan oll yn un, yn destun mawl:
a dyna lle rwy'n gwahaniaethu rhag y Diawl;
fe roddais lawer nef i ti eu moli
ond roeddet ti'n rhy ddall i sylweddoli'r
pwynt: ni allaf weld yr un dystiolaeth
y cei di, bellach, unrhyw dröedigaeth!

Angel
a gawn ni symud 'mlaen da'r blydi crwt –
rwy'n ysu eisie gwasgu'r botwm Ffwt!

Dyn *(yn despret)*
o plis! fy Arglwydd, dim ond Chi bia'r mawl!
ac rwy'n cyfadde, wnes i real cawl!

Duw
a do! mi wnest! a dyna ddiwedd y stori –
ti'n hollol iawn, ni wnest ti ddim rhagori
ar lefel byw, na nawr, wrth farw chwaith:
fe ddaeth yr amser i derfynu'th daith –
mae llawer un yn sôn am ddechrau dysgu
ond beth yw'r pwrpas, wedi oes o gysgu?

Dyn
ond mae gen i hawl cyfansoddiadol
mewn achos o bwysigrwydd mor eithriadol –
fe sonioch yn reit bendant am ryw ffurflen…

Duw
ti ddim yn deall rheoliadau'r system –
mae gofyn am estyniad, yn ddi-feth,
yn golygu siawns o Sudden Death!

Angel *(wedi hen laru)*
Boss, mae angen dod â'r ffars 'ma i ben –
Chi byth yn gwybod pryd i ddweud Amen:
rwy'n sylwi eich bod Chi lawer yn rhy amal
yn cymryd agwedd – os ca i ddweud – sy'n wamal;
mae'r achos yma'n amlwg yn gaeëdig –
does dim dadl dros amser estynedig

Duw
ti'n hollol iawn: rwy'n gweld nad oes 'na dir
dros barhau'r gwrandawiad, fu'n rhy hir:
OK, Angel – gwasga'r botwm Ffwt!

Dyn
ond plis, fy Arglwydd – A-a-a-r-g-h! – *Kaputt!!!*

Duw *(yn ymestyn am wydryn o ddŵr di-garbon)*
wel diolch byth am hynny, whiw! 'na straen!
ni welais adyn cweit mor ewn o'r blaen;
diolch, Angel, am dy wasanaeth ffyddlon –
fe ddylwn fod, fel Satan, yn fwy cyson
(yn sychu ei dalcen â thywel gwyn)
oes 'na fwy o Gymry yn y ciw –
dyw e ddim yn sbort i gyd i fod yn Dduw!

Angel
y broblem yw Eich bod yn rhy faddeugar
ac yn ildio i ryw deips dadleugar

Duw
ti'n iawn, fy Angel, dydw i ddim yn gyson
wrth gydymdeimlo gormod gyda'r person;
rwy'n credu, weithiau, y dylwn roi fy lle –
mai ti yw'r un a ddylai reoli'r Ne.

gwydryn hir o lagyr gwael

gwydryn hir
o lagyr gwael
yn ffrydio'n unig
yn yr haul

colofn aur
ar ben y balcon
yn disgleirio'n
driw a ffyddlon

i ryw ddeiliad
o'r marina
yn ddiamwys
a ddymuna

ryw amheuthun
ysbaid rydd
rhwng poenau'r nos
a phwysau'r dydd;

chwilia am lyfr
neu becyn cnau
ei hawl i'w hoe
i gwblhau

cans adduned
sy'n byrlymu
yn y gwydryn,
wedi'i offrymu

i unig sicr
bleser dyn –
hoe a addawodd
iddo'i hun

archeb nefol,
gobaith hael
mewn gwydryn hir
o lagyr gwael

hapus yng Nghaernarfon

hapus yng Nghaernafon
  yma'n wyn fy myd
jyst o glywed sain yr iaith
  yn ffaith ar gornel stryd

coffi poeth yn Caffi Maes,
  pob un â'i bwynt a'i stori
gan baldaruo lond eu croen
  heb boeni am yfory

crwydraf tua'r Sowth of Ffrans
  i weld y llongau hwylio
wedyn troi tua'r Bachgen Du
  am wely i noswylio

a'm traed yn rhydd, af trwy Porth Mawr
  ac oedi ger y Delyn
cyn croesi tua Stryd y Jêl
  am êl ym Mar Llywelyn

yno mae rhyw gobiau
  yn yfed ganol dydd;
ar unwaith fe ymlaciaf
  ac yn y crac, rwy'n rhydd

mae popeth a ddeisyfaf
  yma'n bod yn iawn,
anghofiaf fy ngofidiau gwael
  yn haul yr hirbrynhawn

mor ffals fy myw cyffredin
    a'i faniffesto blin
o bwyntiau am be ddylai fod,
    yn lle cael bod fy hun

yn ddyn a adnewyddwyd
    af tua waliau'r gaer
ac ymhyfrydu, ar ryw sedd,
    yn heddwch Porth yr Aur

a gwylio, dros Bont Rabar,
    gerddediad y cariadon –
ni phoenaf am y dydd na'r nos
    os caf aros yng Nghaernarfon

yn hwyrach, ger yr Anglesey,
    caf gwmni rwdlyn ffôl:
"ty'd draw, con, i'r Morgan Lloyd
    am hoe, a roc a rôl"

mae ganddo hawl i'w syniad
    o fwyniant ac ewfforia –
ond onid oes 'na ferched heirdd
    'da'r beirdd yn Doc Fictoria?

ond wfft i bob cynllunio,
    fe nofiaf gyda'r lli –
does dim ots lle llifa'r aig
    os ton Gymraeg yw hi

hapus yng Nghaernarfon,
    eisoes wedi profi
blas cyn pryd o rin y nef
    yn strydoedd tref y Cofi

heb y chwedlau cynnes

heb y chwedlau cynnes
   heb y straeon ffôl
be fyddai 'na i'w drafod
   be fyddai 'na ar ôl –
dim ond cleber ofer
   a jôcs gorfodol, cwrs;
heb yr hen hanesion
   be fyddai pwynt y sgwrs?

heb ryw atgof gwirion
   am Hael yn codi twrw
neu Glyndwr gyda'i Jensen
   a'i lond o gratiau cwrw
neu Prysor ar ben byrddau
   draw yn Bratislafa
neu'r Blew yn tanio'r dyrfa
   yn steddfod y Bala

be fyddai 'na i'w drafod
   ond cefn y *Western Mail*
neu dits Victoria Beckham
   neu'r prisiau yn y sêl,
heb ryw hen arwriaeth,
   heb ryw atgof blêr
am falu ac ymbalfalu
   dan lygaid syn y sêr

heb yr hen ganeuon
 i godi hwyl y cwrdd,
heb ryw hen agenda
 i'w osod ar y bwrdd
sut byddai codi ysbryd,
 sut byddai cynnau gwên
heb yr anturiaethau
 a'r mabinogi hen?

heb ryw stori ddoniol
 am weithred ymfflamychol,
heb ryw atgof melys
 am gyfarfyddiad ysol,
heb y chwedlau cynnes,
 heb y cof cyffredin,
be wnaen ni gyda'n horiau –
 be fyddai 'da ni wedyn?

hiraethaf am fy heniaith

hiraethaf am fy heniaith
   yr iaith rwyf yn addoli –
peth rhyfedd ydi hiraeth
   am rywbeth sy'n bodoli

hiraethaf am fy mhobl
   y teulu clós, Cymraeg
sydd, er mor fach eu nifer,
   yn gefn i mi, a chraig

hiraethaf am fy Nghymru
   y wlad ddihyder, glaear
a allai fod, pe mynnai,
   yn gannwyll i'r holl ddaear

hiraethaf am y ddaear
   yn ei chur a'i chreithiau,
am yr eryr yn yr awyr,
   am y dolffin ar ei deithiau

hiraethaf am y bywyd
   rwyf eisoes yn fwynhau:
ai am ei fod mor felys
   neu am ei fod mor frau?

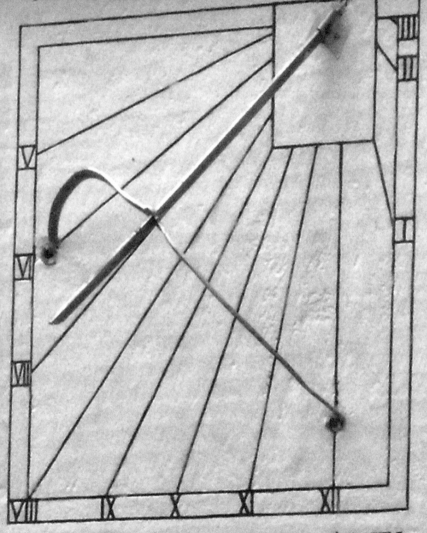

YR·ORIAU·HEULOC

YN·UNIG·A·F·YNEGAF·F·I

logo bychan ydwyf

logo bychan ydwyf
   yn byw trwy ffodus hap
mewn teulu bach o gylchoedd
   a sgwariau rhyfedd, crap

O, hawdd y gallwch chwerthin
   am ben y clwstwr blêr
o liwiau a phatrymau,
   o swishus ac o sêr

ond ni, yn yr hysbyseb
   neu'r faner dros y llwyfan
neu'r daflen gonsertina,
   sy'n cynhyrchu'r arian

i gynnal pob digwyddiad
   yng Nghymru rownd y rîl –
heblaw am ni, y logos,
   base pob dydd yn ddydd Sul

a ni yw'r arf allweddol
   mewn brwydrau corfforaethol:
fel llewod aur Glyndŵr,
   y symbol gwahaniaethol

bu byddin o ddylunwyr
    yn mwydro mewn meddalwedd
a dwsin o bwyllgorau
    yn dadlau am ein delwedd

OK, dyw pob un logo
    ddim cweit mor hardd, o raid,
ac anodd peidio chwerthin
    am sbeirograff y Blaid

felly peidiwch codi trwynau
    na chreu penillion dychan
oherwydd mod i'n aelod
    o deulu'r logos bychan

Lonely Planet

mae Lonely Planet yn iawn
mae'r dre 'ma'n
    ffein –
hen sgwâr, eglwys hynafol
y gwin brodorol yn rhagorol
a'r seler dan Neuadd y Dre
       yn reit ddiddorol
          yn ei ffordd
– ond ble
  mae'r cwmni
       drwg?

mae 'na gyngerdd alffresco
  bob amser cinio ar y piazza
ac arddangosfa
    o grefftau traddodiadol
       yn yr Amgueddfa Wladol
rhwng deg a phedwar o'r gloch
         yr unig
     bwynt
   sy'n codi
yw ble
    mae'r cwmni drwg?
ble
    mae'r gwyll a'r mwg?

ac mae'r Geid
  yn dweud
    y dylwn i tsheco
       mas yr Art Deco
        ar adeilad yr Hen Farchnad
a bod tram Rhif Naw
  yn mynd yn syth at Erddi'r Palas
    lle mae llwyni siâp peunod

a ffynhonnau pwerus
yn saethu 20 metr i'r awyr
ond mae ar gau
dyddiau Sul ac Iau –
ond ma hynna hefyd
yn iawn
gen i

ond ble
mae'r ffug fohemiaid?
ble
mae'r gwybed bar?
ble
mae'r hen hipïaid?
ble
mae'r sgyrsio gwâr?

ble
mae'r criw carlamus?
ble
mae'r hwyl a'r crac?
ble
mae'r beirdd methiannus?
ble
mae'r merched llac?

ble
mae'r cyw athronwyr?
ble
mae'r gwyll a'r mwg?
ble
mae'r hen adlonwyr?
ble
mae'r cwmni drwg?

lleuad yw y byd

capel heb ddim crefydd
   coleg heb ddim dysg
tafarn heb gwmnïaeth
   afon heb ddim pysg

merched sydd fel dynion
   heddwch llawn o drais
rhyfel heb elynion
   Cymro, sydd yn Sais

adloniant heb ddifyrrwch
   tawelwch, ond dim hedd
celfyddyd heb brydferthwch
   bywyd, llawn o'r bedd

digonedd, ond dim llawnder
   pwerau, ond dim grym
arweinwyr sydd yn dilyn
   popeth, llawn o ddim

does dim byd fel ei enw
   peth arall gewch o hyd:
Lloegr ydi Cymru
   lleuad yw y byd

mae byd tu draw i ferched

mae byd tu draw i ferched
   mae gwlad tu hwnt i ryw
lle mae hedd ac annibyniaeth
   a llonydd, peint, a Duw

ar lannau'r afon dawel
   o dan y coedydd braf
fe welaf fainc gysgodol
   mewn hamdden diwedd haf

eisteddaf dan y deilios
   ymhell o waith a straen
– ond yna pasia cysgod
   merch welais i o'r blaen

a welais hi mewn steddfod?
   a galwaf, Hei Shwmai!
mae'n troi, heb fy adnabod –
   ai arnaf i mae'r bai?

mae peryg im ei cholli
   a chodaf lan o'r bwrdd
ond yna'n ddiarwybod
   fe aeth yr hedd i ffwrdd

pa fantais sydd, gofynnais,
   mewn bod yn rhydd a llonydd
a hongian yn ddibwrpas
   o gwmpas rhyw afonydd?

fe ddaw rhyw adeg eto
   i godi uwchlaw serch
ond nawr, yn y cyfamser –
   rhaid mynd ar ôl y ferch

maen rhaid cael jam yn rhywle

mae'n rhaid cael jam yn rhywle
   mae'n rhaid cael joch o hedd,
mae angen ildio i bechod
   jyst weithiau, cyn y bedd

mae'n rhaid cael mwy na chyflog
   wedi dydd o waith,
mae'n iawn cael rhywbeth melys
   i esmwytháu y daith

rhaid ildio i ryw wendid
   'rôl gwneud yr hyn sydd raid –
dim ond Duw sy'n berffaith,
   beth ydyn ni ond llaid?

mae'n iawn cael rhyw gyfrinach
   o olwg hyll y dyrfa,
rhyw bechod achlysurol
   nad yw'n hyrwyddo gyrfa

mae'n iawn i weithio'n galed
   a pheidio gofyn pam,
mae'n rhaid cael bara menyn
   ond weithiau, rhaid cael jam

melys yw

melys yw dringo i gopa'r Wyddfa
a rhwygo Iwnion Jac a gweld y darnau'n hedfan
lawr i'r niwl

melys yw bodio o Fangor i Gaerdydd
a meddwl yn y bryniau mor braf yw bod yn rhydd
dan haul Cymru

melys yw piso 'ngole leuad
ym muarth Ifan Henllys noswyl priodas Penri
a'r cwmni mor felys â'r cwrw

melys yw cyfri'r tywod ar draeth Penmon gyda Mair
ac Amser yn ffoi i'r gorwel
rhag yr hedd

melys yw malu cachu
bore a nos, yn dwll, yn sobor, 'da'r bois neu gyda'r sêr
yn enw'r Gwir

melys yw bod yn Gymro
a chael peintio'r byd yn wyrdd

nawredd

rhyw b'nawn
wrth ruthro o stondin i stondin,
bocsed o lyfrau'n
faich dan fy mraich
fe welais yr haul
yn taro'r dail
gwybodus
yn y coed;
arhosais
a gwyddwn
mai dim ond hyn sy'n bod

y cyfarfodydd brysiog
y sgyrsiau blêr a blysiog
yr hanner caru
yr ofer ddyfaru
y pyliau byr o afiaith
mewn buddugoliaeth frau
wrth weld rhyw ddrws yn agor
cyn iddo, wedyn, gau,
y llyfrau na ddarllenwyd
y busnes na orffenwyd
y chwyldro a ohiriwyd
y stwff sy'n dal yn freuddwyd;
y troeon da, damweiniol
y sesiwn yn y Faenol
y noson ar y traeth
yr holl bethau a aeth

does dim nefoedd arall
na dydd barn
na swm ar droed y cyfri
i'w hawlio neu i'w dalu
ond a dalasom eisoes
am ein troeon gwamal
a'r cyfan dderbyniasom
yn rhoddion anhaeddiannol

y cyfan a gawsom
yw'r cyfan a gawn –
dim ond hyn sy'n bod
does dim nefoedd ond y nefau fu
nac uffern fwy na'r nosau du
na dim mawredd
mwy na nawredd
yr eiliad
megis pan, yn sydyn,
y tery'r haul
y dail
gwybodus
yn y coed

O na allwn yfed

O na allwn yfed
    fel yn y dyddiau gynt
pan gropiai hafau hirion
    yn araf ar eu hynt,
pan brofwn dragwyddoldeb
    mewn gardd neu rimyn traeth,
pan beidiai rhediad amser
    yn hud y cwmni ffraeth
    .

fel mewn rhyw hen eisteddfod
    neu dafarn sinc yn Nyfed
doedd diwedd byth i'r diwrnod
    na therfyn byth i'r yfed;
eraill a gondemniai'r
    ofer acoholiaeth
ond ni oedd hufen Cymru
    a gobaith y ddynoliaeth

cyn ein llygru gan ein swyddi
    cyn prynu mewn i'r shit
cyn byw fel hanner saeson
    cyn dechrau cadw'n ffit
cyn ildio i bwysau menyw
    cyn sôn am ddod ymlaen –
hiraethaf am y dyddiau
    fel oedden ni o'r blaen

pan wyddem y gwahaniaeth
    rhwng y gau a'r gwir,
pan falem am gyfiawnder
    yng ngwres prynhawniau hir
a bwrdd o beintiau melyn
    o'n blaen, fel aur Periw,
yn rhagflas o'r baradwys
    gawn yn y man, gan Dduw

pan fydd pob dydd yn *all-dayer*
   a phawb yn cadw'r oed
a ffrindiau coll yn cellwair
   fel 'tae nhw yno erioed
a'r bois yn rhith angylion
   yn herian a gwamalu
a Duw ei hun, wrth basio,
   yn dweud, "Nawr Fi sy'n talu!"

04 wal
03 cyfri banc
02 iaith
01 hyfforddwr personol

£0100 am bryd o fwyd i
02 yn Le Gallois
£040 torri gwallt, Toni & Guy
£040 sesiwn yn Total Tanning (gwraig)

01 Lexus Cabriolet 2.2 DTi injection
01 Toyota Prius Hybrid (gwraig)

£060,000 cyflog
£040,000 cyflog (gwraig)
£015,000 costau teithio, llety, gwariant amrywiol

02.0 plant

040 pâr o sgidiau
030 siwt
020 cerdyn plastig gan gynnwys
01 aelodaeth Park Club and Spa
07 tro tramor y flwyddyn i
04 ban byd
02 *liaisons dangereuses* (cyfredol) (nid gwraig)
01 cyfle gei di – cer amdani, boi!

01/12 mis, timeshare, Val d'Isère

02 wyneb
01 bywyd
0.01 talent
00 egwyddor
00 duw

pabi melyn, babi plaid

blodyn fflyffi
lond o ffydd
ddaeth i Gymru
o Gaerdydd

logo newydd
babi plaid
pabi melyn
cyt and draid

pach i'r triban
pach i'r ddraig
pach i bopeth
rhy Gymraeg

babi pabi
lliw trofannol
blodyn hapus
siâp peiriannol

ond yna'n sydyn
gwynt yn rwff
plaid a pabi'n
mynd mewn pwff

paid rhoi mewn i fen'wod

paid rhoi mewn i fen'wod*
   paid ymddwyn fel ffŵl
cadw dy wrywdod
   wastad cadw'n cŵl

cadw dy hun mewn ffocws
   dilea dy amheuon
paid sylwi ar eu chwiwiau
   paid gwrando ar eu straeon

cadw dy ryddid meddwl
   cadwa mas o drwbwl –
cofia, heb dy feddwl,
   does 'da ti ddim o gwbwl

cadw'n driw i Gymru
   cer heibio'r pishyn handi
paid bradychu'r achos
   bydd yn gryf fel Ghandi

cofia dy ieuenctid
   pan oe't ti'n rhydd fel eryr
paid gadael i fenywod
   lanw'th fyd â gwewyr

eheda i'r entrychion
   paid ildio i'w hystrywiau
cadwa rhag eu swynion
   cerdda gyda'r duwiau

*Dewisol. Hefyd yn bosibl: 'Paid rhoi mewn i ddynion,' etc.

Popseicoleg

ymladdwn frwydrau bywyd
  tu ôl i aml luman
ond blinaf ydyw'r brwydrau
  ymleddir gyda'r Hunan

Efe yw'r un hollbwysig,
  yr uchel, unig endid
sy'n llestr pob gobeithion
  ond eto'n llawn o wendid

chwiliwn am ymwared
  mewn ioga ac astroleg
a'r gwirioneddau oesol
  ym Meibl Popseicoleg

darllenwn ei efengyl
  yng nghefn yr holl gylchgronau
gan ddysgu ymganoli
  a gwylio ein hormonau

astudiwn gyfrinachau
  anadlu ac ymlacio
ond er pob hir ymarfer
  ni'n dal bron biti cracio

mae'r Beibl yn ein hannog
  i wrthod pob gwamalrwydd
a chanolbwyntio'n hegni
  ar gyrraedd at Normalrwydd

ond methu wnawn â hynny
  a throi at aciw-bigo –
ond ni all holl ddysg y Dwyrain
  ein cadw rhag ysigo

ni ddaw achubiaeth inni –
　　y broblem yw'r ymdrechu:
tra byddwn gaeth i'r Hunan
　　ein tynged ydyw pechu

ofer yw'n straffaglu
　　gwastraff yw ein byw:
fe'n dryswyd yn dragwyddol
　　am nad oes gennym Dduw

poso fel Ewropead

poso
ar y Via Doloroso,
mynd i *soirée*
ar y Lungo Mare,
mwynhau Martini
yn Rimini,
a Chaffe Haag
ym Mhrâg

son Galese
bin Walieser
je viens de Pays de Galles
Cymro – wyddoch chi am Gymru?
plant y Rhufeiniaid
o dras yr Iberiaid
ond yn y bôn Celtiaid –
y pan-Ewropeaid gwreiddiol,
wrth gwrs

fel comed
yn ffurfafen y cenhedloedd
saetha seren Cymru dros bennau'r partïwyr
a'u dallu â'i harddwch:
y wlad fach
berffaith ei ffurf
a welsom mor glir
yn ein breuddwydion
ac sydd heno'n fwy real
nag y bu erioed
yn strydoedd gwlybion
Aberystwyth

yn wâr
dros Campari
yn braf
uwch y Souave
â bonhomie
ym mlaen y tŷ,
mae gennym ein cyfraniad perthnasol,
cymdeithasol:
'sneb cweit mor dda
am dorri'r iâ,
mor harti
mewn parti,
â'r fath *joie de vivre*
wrth lansio *livre*
na'r fath ddawn geirio
wrth gadeirio

heb ffugneisrwydd
y Saeson
heb straen
yr Almaenwyr
nid mor flin
â'r Ffiniaid
heb grancrwydd
y Ffrancod
nac yn wamal
fel Eidalwyr

heb ddim anabledd
mewn cynhadledd
ond yn ffraeth
ar daith,
yn argyhoeddiadol
yn rhyngwladol,
blodeuwn yn well
ymhell,
yn wych
oddi ar dir sych,
ag amôr
tramôr,
yn wir Gymry
oddi wrthi

uno Amaretto
etto
per favor –
a fyddwch chi
yn ffinale
y Biennale?
mae gen i docyn sbâr
i'r bwyd a'r bar...

second siti

(cerdd i Abertawe)

dim Blackberries, dim Fflash Harrys
dim cyfieithwyr mewn Ferraris
dim tai gwerth miliwn fel un Beti Siôrs
dim Mileniym Sentyr llawn bôrs

dim Party of Wales, dim Assembli
dim Stadiwm Rygbi fel un Wembli
dim dynion Undeb mewn siwtiau streip
dim bois PR yn palu heip

dim Chapter Arts, dim bariau gwin
dim Dafydd Êl yn llyfu'r Cwîn
dim Es Ffôr Si, dim Iona Jones
dim Rhodri Ogwen yn ei drôns

dim cyfryngis yn sincio dybls
dim Language Bored yn byw mewn bybl
dim John Walter, llawn o wynt
dim bancwyr masnachol sgint

dim gwleidyddion uchelgeisiol
yn rhoi cyngor cudd, manteisiol
dim gweision sifil ar Pinot Noir
allan gyda'u men'wod sbâr

dim prats
dim ffat cats
dim twats
dim Club Ivor, dim garage hows
dim hip hop (mae'n haws)
dim awduron yn gwario'u grant
dim ffeministiaid yn cael rant
dim ffarts Perfforming Arts
dim tarts
bit parts

dim KKK
dim Cardiff Bay
dim Halfway
dim *"Hi,*
Have a Nice Day"

…ond dinas hyll a hardd
    o bobol braf, werinol
yn gweithio a mwynhau
    â diffyg brys dymunol,
mynwent uchelgais
    a lle da am gyrri
a pheint ar lan y Bae*
    i araf ymddifyrru

*Bae = Bae Abertawe = Bae go iawn fel Napoli, nid llyn artiffisial

shwgir

shwgir i'm clustiau
   yw nodau'r gitâr
sy'n dy swyno'n lân
   yn y caffe-bar

shwgir i'm gwefus
   yw blas y gwin coch
ni'n cael lawr y Bae
   am wyth o'r gloch

shwgir i'm llygaid
   a mêl i'm hormonau
yw'r wisg fach ddu
   sy'n dangos dy fronnau

shwgir i'm trwyn
   yw'r hoglau Stryd Bond
sy'n hongian fel hud
   am dy wallt mawr blond

shwgir i'm dwylo
   yw cymryd y siawns
i gyffwrdd dy gefn
   ar lawr y ddawns

shwgir i'm meddwl
   yw dy sgwrs bryfoclyd,
dy syniadau gwyllt
   a dy chwerthin joclyd

halen i'm henaid
   a diwedd y byd
yw dy glywed yn ateb:
   Na – dyna i gyd

soned tŷ coffi

ffrwtia'r peiriant coffi, yna ffrwydro
gan foddi'r sibrwd gwâr a'r tincial llestri
ond nid yw'r syllwyr diog trwy'r ffenestri
yn cyffro mwy na'r gweinwyr tal sy'n crwydro'n

araf rhwng y byrddau crwn, llieiniog;
mae rhai yn troi dalennau'r sgroliau dyddiol
ac eraill yn myfyrio'n annefnyddiol
neu'n dewis *torte* mas o'r cwpwrdd sgleiniog

tra troella'r mwg sigâr yn afreolus
heibio i fochau coch y ferch Campari
a thua'r candelabra, sy'n gwasgaru'r
hoglau gwâr fel aroglarth hudolus:

teml i arafwch a segurdod
a mur rhag gormes amser ac awdurdod

ti goffod bod yn lwcus

ti goffod bod yn lwcus
    i bara yn y byd
mae'n help i fod yn fasdard
    ond rhaid cael lwc o hyd

gyrrwr mewn Freelander
    yn tynnu i'r ochr groes,
y beiciwr 'rochr gywir
    mewn cadair am ei oes

boi o ardal Blaenau
    yn byw ar ochr Traws,
fe gafodd Strontiwm yn ei laeth
    a'i esgyrn drodd yn gaws

Dafydd Mei ac Eirug
    bechgyn blydi grêt
ond daeth eu rhifau i fyny –
    mae'n hollol syml, mêt

paid meddwl mynd ar ddeiet
    neu jogio ar ryw ras:
os ti mewn, ti mewn, boi
    ac os ti mas, ti mas

basdard ydi bywyd
    heblaw am ambell ffwc –
paid meddwl am y blydi peth
    jyst cyfra dy blydi lwc

ti yw tywysog Cymru

(wedi clywed Llŷr, fy ŵyr 5 oed ar y pryd, yn dweud 'Thank You'
wrth swyddog y pwll nofio)

roedd gennyt deyrnas eang
    llawn hud ac anturiaethau,
copaon uchel, ogofâu,
    peiriannau, traciau, traethau

ti oedd tywysog Cymru,
    ti oedd yn teyrnasu,
ond gwelaist arwydd ger rhyw faes,
    un Saesneg, Dim Tresmasu

nawr dyw ffiniau, ieithoedd estron
    ddim yn anghyffredin
ond pan ti'n gymaint â phump o'd
    yr wyt ti i fod yn frenin

dy ffawd yw gorfod cario
    baich dy iaith wahanol
ond gan na elli ei hosgoi –
    wel, rhoi hi yn y canol!

ti yw tywysog Cymru
    o hyd – paid â'i anghofio –
er base hynny'n eitha peth
    jyst weithiau, pan ti'n nofio

tra Gelli

mae gwlad nad yw'n Gymru na Lloegr
   lle mae'n iawn i fod yn ffŵl
a 'sdim rhaid cydymffurfio
   na thrio bod yn gŵl;
mae'n iawn i ddarllen llyfrau
   a sgyrsio a smygu sigâr
ac yfed gwin, a bod dy hun:
   mae'n wlad sy'n dal yn wâr

does gan y wlad ddim statws
   swyddogol ar y map
does ganddi ddim Cynulliad
   – ni syrthiodd mewn i'r trap –
ond gwlad y meddwl ydyw
   a ffŵl sydd wrth y llyw
a roddodd, trwy esiampl,
   y wers ar sut i fyw

paid disgwyl wrth wleidyddion
   paid aros am ryw wynfyd
cyhoedda dy hun, tra Gelli,
   yn Frenin ar dy fywyd;
crea dy faner a'th arfbais
   a'u chwifio yng ngolau ddydd,
batha dy werthoedd dy hunan –
   cyhoedda dy hun yn rhydd

trio cofio'r hafau melyn

trio cofio'r hafau melyn
gynt ar lethrau Ynys Lochtyn,
yr hafau hirion, poeth, diderfyn
rhwng y grug a'r môr a'r eithin
a'r troeon hirion dros y penrhyn
i gyfeiliant mwmial gwenyn
a chri'r gwylanod oedd yn esgyn
i'r ffurfafen, dros y clogwyn

ond mae d'ymennydd fel ymenyn!
cest dy bigo gan y gwenyn,
roedd 'na wenwyn yn y rhedyn
a chest godwm ger y clogwyn
pan ddisgynnodd niwlen sydyn,
ond roedd, eto, naws amheuthun
i'r hir droeon yn yr eithin
dan y nef oedd ym Mehefin

oedd 'na rywbeth arall, wedyn,
sydd tu draw i'r cof cyffredin
roddai'r hud i'r hafau melyn?
dyna'r peth sydd yn fy nychryn,
nid na chofiaf bob manylyn
ond na allaf, fel oedolyn,
bellach gofio, er hir erfyn,
bod y dyddiau yn ddiderfyn

tsheco

(nos Wener, Talybont)

tsheco bod 'na dai'n y pentre
a'i fod e'n gorwedd rhwng y brynie
tsheco fod y Patshyn 'dal yn Las –
oes 'na reswm gwell dros fentro mas?

tsheco bod 'na goed ar Allt y Crib
gwneud yn siŵr bod dŵr y Leri'n wlyb
tsheco bod y Ceulan, ger Bont Fach,
yn dal i lifo iddi'n gryf ac iach

tsheco bod y sêr yn wincio
tsheco nad yw'r tir yn sincio
tsheco bod y polion lampau
at ei gilydd, yn rhoi golau

tsheco bod 'na lwybr rownd y Bloc
tsheco bod 'na lyfrau yn ein stoc
tsheco'n gyffredinol, er ein pechu,
nad yw'r Saeson eto wedi'n trechu

a dyma nhw, yr hen dafarnau,
i groesawu ein rhagfarnau
tsheco bod cadeiriau rownd y bwrdd
tsheco bod y bois yn dal i gwrdd

un bore braf ond rhyfedd

un bore braf ond rhyfedd
   wrth gerdded lawr y stryd
fe deimlais mod i'n nabod
   y bobol bron i gyd

fe wenais at ryw fachgen
   a chodi llaw a chwerthin
gan feddwl, yn anghywir –
   rhaid ein bod ni'n perthyn

ac yn y neuadd hamdden
   fe welais y teulu'n nofio
ond na, nid nhw oedd yno:
   sut allwn i anghofio

eu pryd a'u gwedd?
   ac yna'n yfed coffi
dros bapur yn y Caban
   roedd merch arferwn hoffi

ond na nid honno ydoedd
   ond efallai, Saesnes
a'i golwg, o hir graffu,
   rywsut yn anghynnes

beth oedd wedi digwydd
   imi yng ngwres yr haul?
ai henaint ddaeth yn gynnar,
   neu rywbeth arall, gwael?

neu ai hen awydd ydoedd
   i beidio bod yn eithriad –
rhyw hiraeth am yr amser
   nad ni oedd y dieithriaid?

wedi hir ymlafnio

wedi hir ymlafnio
    mewn hirwaith diflas, trwm
fe benderfynais ddianc
    o'r byd a'i boen a'i bwn

dihangais i Eryri
    i'r unigeddau hardd
gan feddwl profi heddwch
    a mwyn brofiadau bardd

ond yn yr unigeddau
    a'm cnapsach ar fy nghefn
pwy glywn yn dringo ataf
    ond sais yn dweud y drefn

ac yno ar y copa
    fe'i gwelais yn cael smôc
a chriw o saeson eraill
    yn yfed Diet Coke

fe ffois at esgair unig
    yng nghanol natur hudol
ond yno yn parablu
    roedd sais a'i ffôn symudol

fe welais fwyty unig
    ar ben ryw wledig lôn
ond yno'n byta *starter*
    oedd sais a'i goctel prôn

am dafarn fach, ddiarffordd
    bûm wedyn yn hiraethu
ond beth a ffeindiais yno
    ond sais yn uchel draethu

yn groyw awdurdodol
   ar argyfyngau'r dydd
ei wybodaeth wyddoniadol
   yn synnu'r yfwyr prudd

fy unig ddewis, bellach,
   oedd ffoi o'r ynys hon
i rywle cyfandirol
   am heddwch dan y fron

fe es i Baris fythwyrdd
    i gael fy adnewyddu
ond yno yn y Deux Magots
    roedd sais yn athronyddu

fe ffois i gribau'r Alpau
    wedi hir fustachu
ond yno mewn Lederhosen
    roedd sais yn malu cachu

pa fryn, pa lyn, pa lecyn
    – oes yna grib neu sarn
o fewn ein planed dirion
    heb sais yn dweud ei farn?

fe rown un cynnig olaf
    fe awn o fyd y traffig
a'r bywyd Ewropeaidd:
    fe awn i wlad yr Affrig

fe ffeindiais yno draethell
    mewn gwlad o laeth a mêl
ond pwy oedd ar ei dywel
    ond sais, a'i *Daily Mail*

ac os caf fynd i'r Nefoedd,
    – a'i enw, gwn, fydd *Heaven* –
ar risiau'r porth 'da Pedr
    bydd sais yn dweud y dref

y bwlch rhwng pris a gwerth

nefoedd am bris gwyliau!
   rhyddid am bris Ferrari!
iechyd am gael cwrs mewn spa!
   wnewch chi ddim dyfaru!

harddwch am bris hufen!
   – mae'n swnio'n dda, mi wn –
sicrwydd am bris yswiriant!
   heddwch am bris gwn!

mwyniant am bris meddwi!
   cariad am bris rhyw!
addysg am dystysgrif gradd!
   a bywyd – prynwch Dduw!

ond mae 'na fwlch
   rhwng pris a gwerth
      lle mae pob rhinwedd
         a phob nerth

pob serenedd
   a phob dawn
      a phob anrheg
         gwych a gawn

pob egwyddor
   a phob hud
      a phob difyrrwch
         yn y byd

peidiwch talu'r prisiau llym –
mae'r eitemau'n dod am ddim
cefnwch ar y sêl honedig –
mae'r oll yn rhydd ac yn fendigedig

y dydd y cododd y Cymry

The Day the Welsh Rose – A Farcical Comedy in Three Acts
(drama yn Theatr y Werin, Aberystwyth, dro yn ôl)

petai y Cymry'n codi – dyna ffars:
tebycach chwyldro ar y blaned Mars.
pwy caech chi i wneud y job – cenedlaetholwyr?
mae'r rheini nawr i gyd yn ddatganolwyr

falle caech chi lenor, yn cael grant,
i sgwennu dyle'r Saeson gachu bant,
neu gynhyrchydd ffilm i godi cnec –
ond châi e fyth gomisiwn gan S4C

pwy arall sy? rhyw ddysgwr diletantaidd
neu ganwr pop, neu Efengylwr sanctaidd?
neu actor yn y Cameo, ar ei ffani,
yn dyheu am sylw cyn diflannu?

neu oes 'na Blaidee'n rhywle wedi blino
neu Fwrddwr Iaith sy'n sydyn am ddihuno
gan sgubo llawr y Senedd gydag araith
yn hawlio – haleliwia! – Annibyniaeth?

tebycach i dîm hoci o Japan,
na neb o'r giwed yma, godi lan!

y ferch o Fermont

dal i herio'r holl elfennau
    dal i chwilio am y gwir
dal i rolio sigarennau
    duon, tenau, cryfion, hir

dal i wenu'n dawel felys
    er ei holl brofiadau hallt
dal i wisgo lliwiau'r enfys
    ar ei gwisg ac yn ei gwallt

cofia am yr hafau gwirion
    gyda'u gobaith ffôl am chwyldro,
wedyn y blynyddoedd hirion
    o dorri calon ac o grwydro

yn ei fflat llawn lluniau blêr
    llifa gwirod dros ei gwefus
tra, trwy'r ffenest, hwylia'r sêr
    i nodau pêr y caeau mefus

ond ni ildia i segurdod,
    nid yw'n plygu o flaen storm –
mae'n dal i amau pob awdurdod,
    dal i wrthod unrhyw norm

nawr ar Gymru mae'n gwirioni
    dysgu'r heniaith yw ei delfryd:
ni ŵyr eto, druan ohoni,
    mai ni sydd wedi colli'r freuddwyd

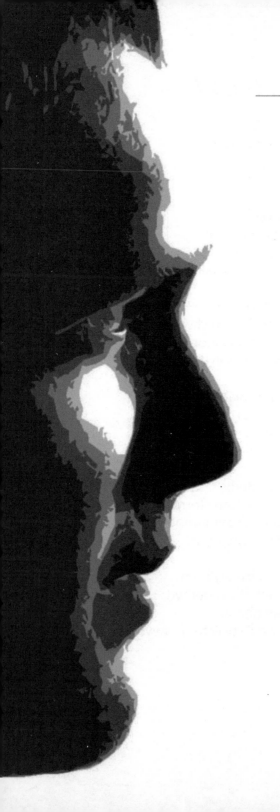

y ddau

roedd y bardd yn iawn
ei fod e wedi'i
un rhan ohono'n
ond rhyw ran hen

be sy'n od
yw tra bo un .
mae'r rhan arall,
o'i drueni,

ymdaith cyson
i fusgrellni
ac yn meithrin
gwych gynlluniau

chwyldroadol,
anturiaethau
yn dra ewn,
i'r rhan arall

digon teg,
er mor glodwiw
pam na fuasai'r
wedi codi stêm

fe y byddo'i
i'r rhan iau
ond dwed hwnnw,
"Sorri, mêt,

hanner

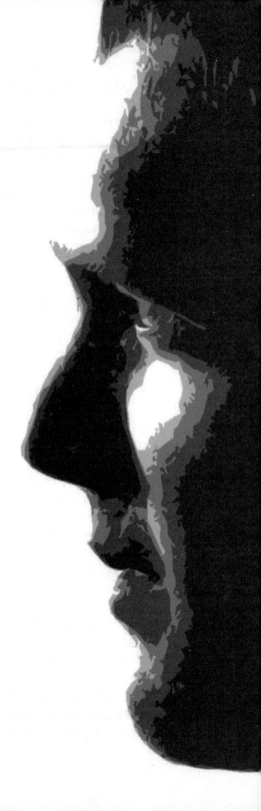

ynglŷn â dyn
rannu'n ddau:
tyfu'n hŷn
yn tyfu'n iau

ynglŷn â'r mater
yn chwim heneiddio
yn ddifater
gan ffieiddio

ei gydymaith
a dirywiad,
– yn llawn afiaith –
am adfywiad

ac yn cychwyn
annhymhorol
gan roddi dychryn
wan, gorfforol

ond hyn ofynnaf:
yw ei hynt
rhan oedd hynaf
ynghynt

nerth ffantastig
o fantais lwyr?
yn sarcastig,
ti jyst rhy hwyr!"

y pwynt ynglŷn â gras

y pwynt ynglŷn â gras
    yw'r un wyt ti'n anghofio
sef nad yw'r porth yn agor
    jyst am dy fod ti'n curo
ond bod mynediad arall
    un dinod, gostyngedig
yn cilymagor weithiau
    trwy lwc a gras yn unig

nid trwy astudio'r testun
    y daw yr ateb iti
ond weithiau, yn ddamweiniol,
    o sylwi ar graffiti
a sgriblwyd yn ddrygionus
    ar ymyl dalen hen
y daw y syniad difyr,
    y fflach sy'n codi gwên

os am benthwynos difyr
    anghofia am drefniadau –
jyst eistedd wrth y palmant
    ac ildio i ddigwyddiadau
achos nid, o raid, mewn heulwen
    ond wrth ffoi o'r glaw
y ffeindi di'r bar diddan
    a'r cwmni di-ben-draw

mor ofer yr ymlafniwn
    mewn hunan-les dibaid
ond weithiau, trwy drugaredd,
    daw llais sy'n dweud, "'sdim rhaid!"
na, does 'na ddim rheolau,
    ansicr yw moesoldeb:
gwell arfer gostyngeiddrwydd
    ac ychydig gymedroldeb

ie'r pwynt wyt ti'n anghofio
    yw'r un ynglŷn â gras:
nad ynom ni mae'r ateb
    ond rhywle y tu fas –
anghofia am bob cyngor
    ynglŷn â sut i fyw
os gelli ddysgu disgwyl
    y gras a ddaw gan Dduw

ymson yr yfwr Allbright

dwy ddim yn ddigon trendi
   dwy ddim yn gwisgo'n iawn
dwy ddim yn hoffi jogo
   na byta bwydydd grawn

dwy ddim yn hoff o wina
   rwy'n arfer chwalu'r corc –
gwell 'da fi beint o Allbright
   a bag o Sgratshings Porc

dwy ddim yn fachan blaengar
   dwy ddim cweit ar y bêl
dwy ddim yn studio'r Guardian
   'mond cefn y Western Mêl

rwy'n methu dal i fyny
   does 'da fi ddim mo'r twtsh –
yn lle darllen Raymond Williams
   rwy'n agor nofel rwtsh

dwy ddim yn oleuedig
   ynglŷn â'r Trydydd Byd
a holl broblemau Chile
   a'r gwledydd yna i gyd

rwy'n wael mewn partis coffi
   rwy'n methu dal y sgwrs
rwy'n dweud y peth anghywir
   ac yn bihafio'n gwrs

rwy'n trio 'ngore glas i fod
   yn Radical a Chic
ond rwy'n bennu lan bob tro
   'da Harri, Tom neu Dic

yn wir, rwy'n siofinistaidd,
      rwy'n lico 'bach o sgert
a beth sy'n waeth na hynny
      rwy'n lico rhai sy'n bert

rwy'n hiliol, falle, hefyd
      a'n euog o ryw frad
o achos mod i'n credu
      mai ni sy bia'n gwlad

rwy'n gwybod mod i'n Gymro
      sy rywsut yn hen-ffash
ac, hyd yn oed, rwy'n amau,
      yn rhyw fath o Welsh Nash

os hynny, does dim dwywaith,
      rwy'n fethiant ac yn fflop –
fe af yn ôl i yfed
      fy mheint o Allbright Top

yn neuadd ein canrifoedd

mae neuadd fawr, ysblennydd
   heb lechi ar ei thŵr
na derw yn ei thrawstiau
   na chlochdy'n codi stŵr
ac nid oes yn ei herwau
   ddim colomennod gwyn
na pheunod ar ei lawntiau
   nac alarch ar ei llyn

ond o fewn ei muriau
   mae cwmni miniog, ffraeth
o bobl braf, barablus
   yn derbyn nawdd a maeth;
mae yno dywysogion
   a milwyr dewr a beirdd
a gwerin o bob graddau,
   a gwŷr a merched heirdd

yn neuadd ein canrifoedd
   mae'r Cymry'n cynnal gwledd
a mwyn yw'r cymdeithasu
   ond gwag yw'r gwydrau medd;
melys yw'r atgofion
   am drechu aml elyn
ac uchel ydi'r hwyliau
   ond mud yw nodau'r delyn

er nad yw'n bod mewn amser
   nid breuddwyd na drychiolaeth
yw dathliad y canrifoedd
   o wyrth ein hir fodolaeth;
does dim cwrw 'Mwythig
   na pherllan deg na cheirw
dim ond cymundeb oesol
   y Cymry byw a meirw

Ynys y Cŵl

rwy'n mynd am dro i Ynys y Cŵl
rwy wedi laru byw fel ffŵl

a rasio'n wallgo rownd y dre
yn gaeth i'r job, yn glwm i'r we

a'r dechnoleg ddiweddaraf –
fe ffeindiaf gapten rhyw long araf

wnaiff fy llywio mas o'r Bae
i'r wlad lle mae pawb yn dweud Shwmai

ac yn diogi ac ar eu hamocs
neu'n creu hafoc gyda'u giamocs

ym mhob mangre mae arwyddion
yn dweud bod brysio'n anghyfreithlon

am y drosedd fe gewch gosfa –
mis o weithio mewn rhyw swyddfa

y wisg genedlaethol yw shorts Bermiwda
a sbectols du a chrys-T o Giwba

a mae pawb yn yfed spritzers mango;
does dim senedd na dim cwango

na gwleidyddion slei, dan din:
mae pawb yn cynrychioli'i hun

ond mae 'na Frenin, Ronaldino,
sy'n lico crwydro i'r casino

a chwarae blacjac gyda'r fyddin –
sy'n rhoi y jacpots nôl i'r werin

a 'sneb â gwifrau am eu clyw:
mae'n well gan bawb gerddoriaeth fyw

a 'sda nhw ddim PCs ysblennydd,
y PC gorau yw'r ymennydd

a mae pob diwrnod yn ddydd Sadwrn
a 'sneb ag oriawr am ei arddwrn

ta beth sy'n digwydd, does dim poen –
ti jyst yn gneud be ddiawl ti moyn

a dyna pam rwy'n chwilio am gapten
a aiff â fi i'r ynys lawen

mae rhai'n ei alw'n baradwys ffŵl –
ond nhw sy'n iawn, yn Ynys y Cŵl

hefyd gan Robat Gruffudd

Anturiaethau gwleidyddol a charwriaethol Meirion
Middleton, llywydd carismataidd Plaid Cymru – nofel a
ddaeth yn agos at gipio Gwobr Daniel Owen.
0 86243 675 3
£7.95